Vorwort

Ein gutes Stück Schokolade ist für mich wie ein guter Freund, mit dem man achtsam umgeht, dessen Persönlichkeit man achtet und mit dem man Neues gestaltet. Ich lade Sie ein, meinen quadratischen Freund, die Schokolade, in seiner unerschöpflichen Vielfalt immer besser kennen zu lernen. Dieser echte Freund „Ritter Sport"- Schokolade ist für mich wie eine Gelinggarantie für alle erdenklichen Schokoerlebnisse.

Diese Rezepte sind meine Einladung an Sie zur Schokofreundschaft.

Ihre

Hanna Renz

„Neun von zehn Leuten mögen Schokolade. Der Zehnte lügt."

(John Tullius)

Ritter SPORT

VIELE SORTEN

Der umfangreiche Geschmacksreichtum der vielen Schokoladensorten beflügelt geradezu die Entstehung unendlich vieler Kreationen und Ideen, die hier noch lange nicht ausgeschöpft sind.

Nugatcreme

- Gelatine in kaltem Wasser etwa 5 Minuten quellen lassen, aus dem Wasser nehmen und etwas ausdrücken. Eigelbe und Rohrzucker in einer Schüssel schaumig rühren.

- Vanilleschote mit einem spitzen Messer der Länge nach aufschneiden, das Mark herauskratzen und beides mit der Milch in einem Topf zum Kochen bringen. Vanilleschote entfernen. Heiße Milch unter ständigem Rühren langsam zur Eimasse gießen.

- Eimasse in den Topf geben und unter Rühren so lange erhitzen, bis die Masse dickflüssig wird. Heiße Masse durch einen Haarsieb streichen. Weiche Gelatine dazugeben und gründlich unterrühren. Abkühlen aber nicht fest werden lassen.

- Schokolade kleinhacken, über dem Wasserbad bei etwa 40° C schmelzen und wieder etwas abkühlen lassen. Sahne mit dem Zucker steif schlagen und achtsam unter die Crememasse heben.

- **Kühlzeit:** 3 - 4 Stunden

- Konfitüre und etwa 1/3 der Creme in 4 Gläser verteilen. Die noch flüssige Schokolade und den Orangenlikör unter die restliche Creme rühren und die dunkle Creme ebenfalls in die Gläser verteilen.

- Zum Servieren Sahne mit Zucker steif schlagen, in einen Spritzbeutel geben und das Creme-Dessert mit Sahne, Früchte und Schokolode garnieren.

Tipp für eine Variante:
Sie können das Dessert anstelle von Konfitüre auch mit einer passenden Dessertsauce servieren:

100 ml Rotwein, 1 EL Orangensaft, 30 g Zucker, 1 Zimtstange, abgeriebene Schale von 1/2 unbeh. Orange

Wein, Orangensaft, Zucker, Zimtstange und abgeriebene Orangenschale zum Kochen bringen, 5-10 Minuten köcheln lassen und vom Herd nehmen. Die Dessertsauce durch ein Haarsieb abgießen, heiß oder kalt servieren.

Zutaten für 4 Portionen:

Für die Creme:
4 Blatt Weiße Gelatine
4 Eigelbe
80 g Rohrzucker
1 Vanilleschote
300 ml Milch
125 g Ritter Sport Nugat oder Noisette-Schokolade
300 g Sahne
30 g Zucker
2 EL Orangenlikör

Für die Verzierung:
100 g Konfitüre (z. B. Himbeer)
50 g Sahne
1/2 TL Zucker
Beeren oder Früchte der Saison (oder TK)
Etwas Ritter Sport Schokolade

Schokoaufstriche

Rum Trauben Nuss- Aufstrich
60 g Rohrzucker oder Puderzucker, 50 g Haselnüsse, 100 g Ritter Sport Rum Trauben Nuss-Schokolade, 30 g Rumrosinen, 60 g weiche Butter, 80 ml Milch

- Zucker in einem Kräuter- und Gewürzmühlenaufsatz zu feinem Puder mixen oder Puderzucker verwenden.
- Haselnüsse zum Zucker geben und sehr fein mitmixen.
- Schokolade in Stücke brechen und mit Rumrosinen, Zucker und Haselnüssen ebenfalls fein mixen.
- Mischung in eine Metallschüssel geben und über dem Wasserbad bei etwa 45 °C 4 Minuten mit dem Handrührgerät durchrühren.
- Butter und Milch dazugeben. Alles zu einer gleichmäßigen Masse verrühren und in verschließbare Gläser füllen. Den Aufstrich kühl lagern und innerhalb 1 Woche aufbrauchen.

Tipp:
Die Schokoaufstriche gelingen mit einer Küchenmaschine, die selbständig temperieren kann, sehr schnell und erfolgreich.

Sie können auch weißen Zucker verwenden. Geschmacklich unterstützt jedoch der Rohrzucker das feine Aroma des selbst gemachten Aufstrichs.

Dunkler Schokoaufstrich
70 g Rohrzucker, 70 g Haselnüsse, 100 g Ritter Sport Halbbitter-Schokolade, 50 g weiche Butter, 100 g Sahne

Zubereitung wie Rum Trauben Nuss.

Nugat
60 g Zucker, 100 g Haselnüsse, 100 g Ritter Sport Nugat-Schokolade, 50 g weiche Butter, 50 g Sahne, 50 ml Milch

Zubereitung wie Rum Trauben Nuss.

Heller Schoko-Aufstrich
50 g Rohrzucker, 70 g Mandeln, 100 g Ritter Sport Weiss+Crisp-Schokolade, 30 g Cornflakes , 100 ml Milch

Zubereitung wie Rum Trauben Nuss, jedoch die Cornflakes nur mit dem Nudelholz zerbrechen und untermischen.

Varianten für ca. 380 g Aufstrichmasse

Rum Trauben Nuss

Halbbitter

Nugat

Weiss+Crisp

Crème brûlée au Chocolat

- Am Vortag Sahne mit Milch, Zucker, Vanillemark und Eigelben verrühren und abgedeckt über Nacht kalt stellen.

- Sahnemischung bereit stellen. Backofen auf 150 °C (Umluft: 140 °C, Gas: Stufe 1) vorheizen.

- Schokolade kleinhacken, über dem Wasserbad bei etwa 40 °C schmelzen und etwas abkühlen lassen. Geschmolzene Schokolade unter Rühren zu der vorbereiteten Sahnemischung gießen. Crème-Masse ggf. unter Rühren nochmals sanft auf etwa 30 °C erwärmen, bis sich die Schokolade ganz aufgelöst hat. Die Crememasse in Förmchen oder Tassen verteilen, Tassen in die Fettpfanne des Backofens stellen. Soviel heißes Wasser in die Fettpfanne gießen, bis die Förmchen etwa zur Hälfte im Wasser stehen. Auf der mittleren Schiebeleiste ca. 45 Minuten stocken lassen

- Förmchen aus dem Wasser nehmen. Crème mit Zucker bestreuen und den Zucker mit einem Haushalts-Bunsenbrenner karamellisieren (Achtung: Zu nahe oder zu lange brennen verkohlt den Zucker!). Die Creme sofort servieren und genießen.

Zutaten für 4-6 Personen

Für die Creme:
400 g Sahne
140 ml Milch
85 g Zucker
Mark von
1 Vanilleschote
4 Eigelbe
100 g Ritter Sport
Kakao- Mousse-
Schokolade

Zum Fertigstellen:
3 EL Rohrzucker

- **Garzeit:** Ca. 45 Minuten
- **Garen:** Elektro: 150°C, Umluft: 140°C, Gas: Stufe 1

Schokoladen-Fondue

- Die Früchte säubern, ggf. schälen, Kerne, Kerngehäuse und Stiele entfernen. Früchte in mundgerechte Stücke schneiden.

- Schokolade klein hacken und mit der Sahne oder Créme double in einer Schüssel über dem Wasserbad bei ca. 40 °C schmelzen. Ab und zu rühren. Zum Warmhalten eignet sich besonders ein Wasserbad. So bleibt die Schokolade geschmeidig und brennt nicht an.

- Oder: Für Fruchtspieße Obststückchen Ihrer Wahl abwechselnd auf Holzstäbchen spießen und auf eine Backfolie legen. Mit flüssiger Schokolade übergießen. Die restliche Schokolade kann wieder verwendet werden.

Tipp:
Es ist sehr interessant, verschiedene Schokoladensorten zum Dippen zu servieren. Schmelzen Sie dazu dunkle und helle Schokoladensorten in verschiedenen Gefäßen.

Sie können der flüssigen Schokolade auch etwas Rum (für weiße Schokolade weißer Rum) oder Bitterorangenlikör unterrühren.

Zutaten für 3-4 Personen:

Früchte, wie z. B. Erdbeeren, Äpfel, Birnen, Bananen, Kiwis, Baby-Ananas, Physalis, Trauben, Pflaumen, Feigen, Pfirsiche, Mango usw.

100 g Ritter Sport Halbbitter-Schokolade
100 g Ritter Sport Edel-Vollmilch-Schokolade
100 g Sahne oder Créme double
oder je 100 g Ritter Sport Halbbitter-, Edel- Vollmilch- und Weiss+Crisp-Schokolade mit je 50 g Créme double

Sportlicher "Armer Ritter"

Zutaten für 3-4 Personen:

1 Stangenweißbrot vom Vortag oder mürbes Hörnchen
150 g Ritter Sport Kakao-Mousse oder Nugat-Schokolade
300 ml Milch
300 g Mascarpone
4 Eigelbe
100 g Zucker
1 P. Vanillezucker
1 EL Kakaopulver
Etwas Puderzucker

- Auflaufform mit etwas Butter fetten. Weißbrot oder Hörnchen in etwa 1 cm dicke Scheiben schneiden und schräg in die Auflaufform schichten. Schokolade in kleine Würfel schneiden.

- In einem Topf Milch mit Mascarpone unter Rühren stark erhitzen, jedoch nicht zum Kochen bringen.

- Eigelbe mit Zucker, Vanillezucker und Kakaopulver schaumig rühren.

- Erhitzte Mascarpone-Milch unter Rühren langsam zu der Eigelbmasse gießen. 100 g der Schokolade dazugeben und unterrühren. Schokomasse über die Gebäckscheiben gießen und kurz einziehen lassen.

- Backofen auf 180 °C (Umluft: 160 °C, Gas: Stufe 2) vorheizen. Auflauf mit der restlichen Schokolade bestreuen und die Auflaufform in die Fettpfanne des Backofens stellen. So viel heißes Wasser in die Fettpfanne geben, dass die Auflaufform etwa zur Hälfte im Wasser steht. Auf der mittleren Schiebeleiste 35-40 Minuten backen.

- Auflauf mit Puderzucker bestäuben und noch warm servieren.

Tipp:
Dazu passen übrigens auch Vanillesauce oder heiße Himbeeren.

- **Backdauer:** 35 - 40 Min.
- **Backen:** Elektro: 180°C, Umluft: 160°C, Gas: Stufe 2

Ritter
SPORT

Rum-Trauben-Nuss-Muffins

- Backofen auf 180°C (Umluft 160°C, Gas: Stufe 2) vorheizen. Muffin-Backblech fetten oder mit Papierbackförmchen auslegen.
- Schokolade mit einem Messer klein hacken. In einer großen Schüssel Mehl, Haselnüsse, Backpulver, Natron und Schokolade vermischen.
- In einem Topf die Butter bei geringer Hitze schmelzen und etwas abkühlen lassen.
- In einer weiteren Schüssel das Ei leicht verquirlen und mit Rumrosinen, Zucker, Buttermilch und flüssiger Butter verrühren.
- Feuchte Zutaten zu den trockenen geben und locker unterheben.
- Muffinbackform gleichmäßig mit Teig befüllen und auf der mittleren Schiebeleiste 20-25 Minuten backen.
- Muffins noch 5 Minuten im Backblech ruhen lassen, dann vorsichtig herausnehmen und auf einem Kuchengitter abkühlen lassen.
- Für die Verzierung Puderzucker und Rum klümpchenfrei verrühren und auf die Muffins streichen.

Tipp:
Rumrosinen können Sie ganz einfach selbst herstellen. Legen Sie dazu in einer Schale über Nacht 100 g Rosinen mit 40 ml Rum ein.

Wenn Sie für die Kinder das Rezept ohne Alkohol zubereiten möchten, tauschen Sie die Schokoladensorte in Ritter Sport Trauben Nuss. Ersetzen Sie die Rumrosinen mit gleicher Menge gewöhnlicher Rosinen und 2 EL Zitronensaft, sowie den Rum für den Guss ebenfalls mit Zitronensaft.

Zutaten für 12 Muffins:

Für den Teig
100 g Ritter Sport Rum Trauben Nuss-Schokolade
200 g Mehl Type 405
50 g Gem. Haselnüsse
1 1/2 TL Backpulver
1/2 TL Natron
100 g Flüssige Butter
1 Ei
100 g Rumrosinen
100 g Rohrzucker
100 ml Buttermilch

Zum Verzieren
150 g Puderzucker
3 EL Rum

- **Backdauer:** 20 - 25 Min.
- **Backen:** Elektro: 180°C, Umluft: 160°C, Gas: Stufe 2

Himbeer-Joghurt-Schnitten

- Mandeln, Mehl, Zucker, sowie Zimt und Vanillezucker in einer Schüssel vermischen. Die Butter in Flöckchen und das Kirschwasser dazugeben, alles zügig zu einem Mürbeteig kneten. Teig in Folie verpackt etwa 1 Stunde kühl lagern.
- Backofen auf 180° C (Umluft: 160 °C, Gas: Stufe 2) vorheizen. Backblech mit Backpapier auslegen. Teig nochmals kneten und auf die Größe des Backrahmens ausrollen, auf das Backblech legen und den Backrahmen um die Teigplatte setzen. Auf der mittleren Schiebleiste 20-25 Minuten backen. Die Gebäckplatte abkühlen lassen.
- Die Gebäckplatte mit einem Messer aus dem Rahmen lösen, Rahmen abnehmen. Gebäckplatte auf eine Platte ziehen, Papier entfernen. Himbeeren auf die Gepäckplatte setzen. Backrahmen säubern und wieder um die Gebäckplatte legen.
- Für die Creme Schokolade klein hacken. Gelatine in kaltem Wasser ca. 5 Minuten quellen lassen, herausnehmen und etwas ausdrücken.
- Eier trennen. Eigelb mit 100 g Zucker schaumig rühren. Milch in einem Topf zum Kochen bringen und unter ständigem Rühren langsam zu der Eigelbmasse gießen. Die Mischung in den Topf zurückgießen und unter Rühren bei niedriger Temperatur solange erhitzen, bis die Masse dickflüssig wird. Masse vom Herd nehmen. Gelatine unter die heiße Masse rühren, Schokolade dazugeben und die Masse zu einer gleichmäßigen Creme verrühren. Creme abdecken und kühl stellen, bis sie beginnt fest zu werden.
- Eiweiß mit Salz steif schlagen, übrigen Zucker dazugeben und weiter zu einem sehr festen Schaum schlagen. Sahne halbsteif schlagen und nur kurz unter die noch nicht fest gewordene Creme rühren. Eischaum vorsichtig unter die Creme heben, die Creme in dem Rahmen verteilen und glätten. Abdecken und 4-5 Stunden oder über Nacht kalt stellen.
- Zum Fertigstellen die Torte mit Kakao bestäuben und in Schnitten teilen. Sahne steif schlagen und in einen Spritzbeutel geben. Schnitten mit Sahne und Beeren verzieren.

Backdauer: 20 - 25 Min. **Backen:** Elektro: 180°C, Umluft: 160°C, Gas: Stufe 2

Für 1 Torte 15x30cm

Für die Mürbteiglage:
150 g Gem. Mandeln
100 g Mehl Type 405
60 g Rohrzucker
1/2 TL Zimt, 125 g Butter
1/2 P. Vanillezucker
1 EL Kirschwasser

Für die Fruchtfüllung:
250 g Himbeeren

Für die Cremefüllung:
200 g Ritter Sport
Joghurt- Schokolade
4 Blatt Weiße Gelatine
2 Eier, 150 g Zucker
250 ml Milch
200 g Sahne, 1 Pr. Salz

Für die Fertigstellung:
1-2 EL Kakao
200 g Sahne
Himbeeren

Schwarz-Weiß-Kuchen

Für 1 Kuchen ø 26 cm:

Für Für den Teig:
50 g Ritter Sport Edel-Vollmilch-schokolade
250 g Mehl Type 405
1 EL Kakaopulver
50 g Rohrzucker
125 g Butter

Für die Füllung:
150 g Ritter Sport-Kakao-Mousse-Schokolade
400 g Quark
350 g Mascarpone
150 g Rohrzucker
1 P. Vanillezucker
3 Eier

- Edel-Vollmilch-Schokolade klein hacken und über dem Wasserbad bei etwa 40 °C schmelzen. Mehl und Kakao mischen und in eine Schüssel sieben. Zucker, sowie die Butter in Flöckchen und Schokolade dazugeben. Alles kurz zu einem Teig kneten, in Folie verpackt 1 Std. kalt stellen.

- Backofen auf 180 °C (Umluft: 160 °C, Gas: Stufe 2) vorheizen. Springbackform fetten. Teig auf einer leicht bemehlten Unterlage ausrollen und in die Backform legen.

- Kakao-Mousse-Schokolade ebenfalls kleinhacken, wie oben beschrieben schmelzen. Quark und Mascarpone in einer Schüssel vermischen und verrühren. Beim Rühren Zucker und Vanillezucker einrieseln lassen, die Eier einzeln unterrühren.

- Die Hälfte der Quarkmasse in eine weitere Schüssel geben und unter diese die flüssige Schokolade rühren.

- Etwas weniger als die Hälfte der hellen Quarkmasse in der Springform verteilen. Einen Teil der dunklen Masse in die Mitte des Kuchens langsam eingießen und kurz warten, bis sie sich selbst ausgebreitet hat.

- In 4-5 weiteren Schritten immer die Hälfte der verbleibenden Masse, bzw. zum Abschluss dann die restliche Masse, abwechselnd in die Kuchenmitte gießen.

- Auf der mittleren Schiebeleiste 55-60 Minuten backen, bis die helle Masse eine goldbraune Färbung hat. In der Form auf einem Kuchengitter abkühlen lassen.

- Kuchen mit einem Messer vom Formrand lösen und mittels einer Palette vorsichtig vom Formboden auf eine Platte ziehen.

Tipp:
Schmeckt gekühlt besonders gut.

- **Backdauer:** 55 - 60 Min.
- **Backen:** Elektro: 180°C, Umluft: 160°C, Gas: Stufe 2

Ritter
SPORT

Pfefferminze-Creme-Torte

- Schokolade für die Creme klein hacken. Sahne in einem Topf zum Kochen bringen, vom Herd nehmen und die gehackte Schokolade in der noch heißen Sahne auflösen. Die Schokosahne über Nacht abgedeckt kalt stellen.

- Backofen auf 180 °C (Umluft: 160 °C, Gas: Stufe 2) vorheizen. Backblech mit Backpapier auslegen und einen quadratischen Backrahmen von etwa 20x20 cm aufsetzen oder eine runde Springbackform (ø 24 cm) verwenden.

- Schokolade für den Teig mit einem Messer klein hacken. Eier trennen.

- Butter mit Zucker schaumig rühren. Eigelbe nacheinander unter die Buttermasse rühren. Rum ebenfalls unterrühren.

- Eiweiß zu einem festen Schaum schlagen. Schokolade, Mandeln und Backpulver vermischen und unter die Buttermasse rühren. Eischaum achtsam unter die Teigmasse heben. Teig gleichmäßig in dem Backrahmen verteilen. Auf der mittleren Schiebleiste ca. 25 Minuten backen. Gebäckplatte abkühlen lassen.

- Gebäckplatte mit einem Messer aus dem Rahmen lösen, Rahmen abnehmen. Gebäckplatte auf eine Platte ziehen, Papier entfernen.

- Rahmen reinigen und wieder um die Gebäckplatte setzen. Schokosahne mit Sahnefestiger steif schlagen. 200 g Schokosahnecreme für die Verzierung in einen Spritzbeutel füllen. Restliche Creme eben auf der Gebäckplatte verteilen. Kakao gleichmäßig über die Creme sieben. Torte mit Cremerosetten und Schokoladenstückchen verzieren.

Tipp:
Ein Muss für alle Pfefferminz- Liebhaber.

- **Backdauer:** Ca. 25 Min.
- **Backen:** Elektro: 180°C, Umluft: 160°C, Gas: Stufe 2

Zutaten für 1 Torte 20x20 cm

Für die Creme (am Vortag):
200 g Ritter Sport Pfefferminz-Schokolade
750 g Sahne

Für den Teig:
100 g Ritter Sport Halbbitter-Schokolade
5 Eier, 1 EL Rum
80 g Weiche Butter
80 g Zucker
200 g Gesch. gem. Mandeln
1 TL Backpulver

Für die Fertigstellung:
2 P. Sahnesteif
1-2 EL Kakao
100 g Ritter Sport Pfefferminz-Schokolade

Espresso-Whiskey-Torte

- Backofen auf 200 °C (Umluft: 180 °, Gas: Stufe 3) vorheizen. Boden einer Springbackform fetten.
- Eier in einer Schüssel aufschlagen, Wasser dazugeben und 3 bis 5 Minuten schaumig rühren. Weiter rühren, Zucker einrieseln lassen und nochmals 3 bis 5 Minuten zu einer feinen Schaummasse rühren.
- Mehl, Speisestärke und Backpulver gut vermischen, sieben, mit gemahlenen Walnusskernen zur Eischaummasse geben und zügig unterheben. Teigmasse in die Backform geben und glätten. Auf der mittleren Schiebeleiste 25-30 Minuten backen. Abkühlen lassen. Biskuit vorsichtig aus der Form schneiden und zwei Mal quer durchschneiden. Frisch gekochten Kaffee mit Vanillezucker und Whiskey verrühren und bereit stellen.
- Gelatine in kaltem Wasser 5 Minuten quellen lassen. Schokolade kleinhacken und über dem Wasserbad bei 40 °C schmelzen. Gelatine aus dem Wasser nehmen, ausdrücken. In einer Schüssel Gelatine mit Kaffee, Milch, flüssiger Schokolade, Zucker und Whiskey verrühren. Abgedeckt kalt stellen. Sahne mit Vanillezucker steif schlagen. Beginnt die Kaffeemasse fest zu werden, die Sahne unter die Creme heben.
- Erste Biskuitlage auf eine Platte legen und mit einem Tortenring fest umschließen. 1/4 der Creme für die oberste Lage bereit stellen. Restliche Creme teilen, die Hälfte davon in die Ringform geben und glätten. Zweite Bodenlage einlegen, mit der halben Menge des Whiskey-Kaffees beträufeln und mit dem anderen Teil der Creme bedecken. Letzte Bodenlage aufsetzen, mit restlichem Whiskey-Kaffee beträufeln und mit restlicher Creme bestreichen. Abgedeckt 4-6 Stunden, besser noch über Nacht kalt stellen.

Zum Fertigstellen:

Zum Fertigstellen der Torte Tortenring entfernen. 150 g Sahne steif schlagen, die Torte mit etwas Sahne bestreichen, restliche Sahne in einen Spritzbeutel geben. Torte mit Sahnerosetten, 14-16 Walnusskernen und Melisse verzieren.

- **Backdauer:** 25 - 30 Min.
- **Backen:** Elektro: 200 °C, Umluft: 180°C, Gas: Stufe 3

Zutaten für 1 Torte (ø 24-26 cm)

Für den Teig:
4 Eier, 100 g Zucker
4 EL Wasser
120 g Mehl Type 405
40 g Speisestärke
1 TL Backpulver
80 g Gem. Walnüsse

Zum Tränken:
100 ml Starker Kaffee
1 P. Vanillezucker
5 EL Irischer Whiskey

Für die Füllung:
6 Blatt Weiße Gelatine
100 g Ritter Sport Espresso- Schokolade
100 ml Starker Kaffee
100 ml Milch
60 g Zucker
5 EL Whiskey
500 g Sahne
2 P. Vanillezucker

Alpenmilch-Waffeln

- Für die Schokocreme die Schokolade klein hacken. Die Eier trennen. Eigelbe mit Puddingpulver und Milch glatt rühren. Sahne in einem Topf zum Kochen bringen, das aufgelöste Puddingpulver unter Rühren dazugeben und nochmals kurz aufkochen lassen. Den Topf vom Herd nehmen und etwas abkühlen lassen. Gehackte Schokolade dazugeben und unterrühren. Eiweiß mit Salz zu einem festen Schaum schlagen, Zucker dabei einrieseln lassen. Eischaum unter die Schokomasse heben. Crème in eine Schüssel oder Portionsgläschen geben.

- Für den Waffelteig Schokolade in kleine Stückchen schneiden. Butter in einer Schüssel schaumig rühren. Eier einzeln aufschlagen und im Wechsel mit dem Zucker gründlich unter die Butter rühren. Den Rum zugeben.

- Mehl, Speisestärke und Backpulver sieben und mit den Schokoladenstückchen unter die Eimasse rühren.

- Die Waffeln im heißen Waffeleisen ausbacken. Mit der Schokocreme servieren.

Tipp:
Sie können die Waffeln auch mit Ahornsirup und Schlagsahne servieren oder Birnen aus dem Glas dazu reichen.

Verwenden Sie einmal für das Waffel Rezept Ihre Lieblings Schokoladen Sorte von Ritter Sport.

- **Backen:** Im Waffeleisen

Zutaten für 8-10 Stück

Für die Schokocreme:
100 g Ritter Sport Alpenmilch-Schokolade
2 Eier
20 g Schoko-Puddingpulver
125 ml Milch
125 g Sahne
1 Prise Salz
50 g Zucker

Für den Teig:
50 g Ritter Sport Alpenmilch- Schokolade
120 g Butter
3 Eier
100 g Zucker
2 EL Rum
100 g Mehl Type 405
50 g Speisestärke
1/2 TL Backpulver

Biskuitrolle

- Am Vortag für das Gelee Schokolade kleinhacken. In einem Topf Orangensaft mit Orangenlikör, Gelierzucker, Sternanis, Vanille und Zimt erhitzen und 3 Minuten kochen lassen. Masse durch einen Sieb gießen, mit der Schokolade zu einer cremigen Masse verrühren. Das Gelee in ein Schraubglas geben, verschließen und im Kühlschrank über Nacht auf den Kopf stellen.

- Ebenso am Vortag Schokolade für die Sahne kleinhacken. Sahne in einem Topf zum Kochen bringen, vom Herd nehmen und die gehackte Schokolade in der noch heißen Sahne auflösen. Abgedeckt über Nacht kalt stellen.

- Backofen auf 220 °C (Umluft: 200 °C, Gas: Stufe 4) vorheizen. Backblech mit Dauerbackfolie auslegen.

- Eier in einer Schüssel aufschlagen und mit dem Handrührgerät 3-5 Minuten schaumig rühren. Unter Rühren Zucker einrieseln lassen und weitere 3-5 Minuten zu einer schaumigen Masse aufschlagen.

- Mehl, Speisestärke und Backpulver mischen, zur Eiermasse sieben und zügig unterheben. Den Teig gleichmäßig auf dem Backblech verteilen und ebnen. Auf der mittleren Schiebeleiste 8-10 Minuten backen.

- Die Biskuitplatte kurz ablüften lassen, mitsamt der Folie aufrollen und auf einem Gitter abkühlen lassen.

- Gebäckplatte auseinanderrollen, Folie entfernen. Gelee auf die Gebäckplatte streichen. Sahne steif schlagen und gleichmäßig auftragen, dabei etwa 5 cm vom hinteren Rand zurückbleiben. Biskuit locker gegen den freien Rand hin aufrollen und auf eine Platte legen. Abgedeckt kalt stellen.

- Zum Servieren die Rolle mit etwas Kakao bestäuben. Mit Schokolade verzieren.

- **Backdauer:** 8 - 10 Min. - **Backen:** Elektro: 220°C, Umluft: 200°C, Gas: Stufe 4

Zutaten für 1 Rolle

Für das Schokogelee:
150 g Ritter Sport Espresso- Schokolade
250 ml Orangensaft
50 ml Orangenlikör
150 g Gelierzucker 3:1
2 Sternanis
½ Vanilleschote
1 Zimtstange

Für die Schokosahne:
300 g Sahne
100 g Ritter Sport Kakao- Mousse-Schokolade

Für den Teig:
5 Eier, 1 Prise Salz
100 g Zucker
60 g Mehl Type 405
40 g Speisestärke
1 TL Backpulver

Ritter SPORT

Schoko-Liköre

Schoko-Minze-Likör

200 g Ritter Sport Pfefferminz-Schokolade, 75 g Sahne, 75 ml Milch, 300 ml Dry Gin oder Wodka 40 Vol.-%

- Schokolade klein hacken.
- Schokolade mit Sahne und Milch in einem Topf bei geringer Temperatur erhitzen. Kräftig rühren, bis sich die Schokolade ganz aufgelöst hat. Topf vom Herd nehmen und die Ansatzlösung abkühlen lassen.
- Alkohol unter Rühren langsam zur Ansatzlösung gießen.
- Fertigen Likör in eine sterilisierte, verschließbare Flasche abfüllen. Kühl und dunkel lagern. Innerhalb von 14 Tagen verbrauchen. Evtl. vor dem Gebrauch nochmals gut durchschütteln.

Irish Cream-Schokolikör

60 ml Wasser, 75 g Rohrzucker, 75 g Ritter Sport Espresso-Schokolade, 1 1/2 P. Bourbon-Vanillezucker, 40 g Gem. Mandeln, 4 Eigelbe, 200 g Sahne, 200 ml Milch, 150 ml Kondensmilch, 300 ml Weinbrand 40 Vol.-%

- Wasser mit Zucker in einem Topf langsam erhitzen und unter Rühren zum Kochen bringen, bis sich der Zucker ganz aufgelöst hat. Topf vom Herd nehmen. Auf etwa 40 °C abkühlen lassen.
- Schokolade klein hacken, in den noch heißen Zuckersirup geben und verrühren. Vanillezucker und Mandeln dazugeben und unterrühren.
- In einer Schüssel Eigelbe schaumig rühren. Unter ständigem Rühren Sahne, Milch und Kondensmilch langsam dazugießen.
- Eimasse unter Rühren zu der noch warmen Flüssigkeit geben. Gesamte Flüssigkeit durch einen Sieb gießen. Weinbrand unter ständigem Rühren langsam zur flüssigen Ansatzmasse gießen.
- Fertigen Likör wie vor beschrieben abfüllen, lagern und verbrauchen.

Weißer Schokolikör

Zutaten und Zubereitung wie Irish Cream-Schokolikör, nur statt der Espresso-Schokolade 5 weiße Ritter Sport Minis verwenden.

Schoko-Minze-Likör
Zutaten für ca. 600 ml Fertiggetränk mit ca. 20 Vol.-% Alkoholgehalt

Irish Cream-Schokolikör
Zutaten für ca. 1 L Fertiggetränk mit ca. 12 Vol.-% Alkoholgehalt

Weißer Schokolikör

Tipp:
Sehr interessant schmeckt dieses Rezept auch mit der Ritter Sport Olympia-Schokolade

Schokogetränke

■ **Duo im Glas**
150 ml heiße oder kalte Milch und 50 ml Duo- Schokolikör (Zubereitung wie Irish Cream, Seite 31) mixen und sofort servieren.

■ **Mousse auf Milch**
150 ml heiße oder kalte Milch und 50 ml Kakao- Mousse- Likör (Zubereitung wie Irish Cream, Seite 31) mixen und sofort servieren.

■ **Gewürzte Schokomilch**
150 ml Milch mit 1 Msp. gem. Piment (oder anderes Weihnachtsgewürz) erhitzen. 50 g gehackte Ritter Sport Halbbitter-Schokolade in der Milch auflösen. 1 Eigelb dazugeben und Getränk in einem Topf bei geringer Hitze mit dem Schneebesen rühren, bis es etwas eindickt. Fertig!

■ **Heiße oder geeiste Espresso- Schokolade**
200 ml Milch und 50 g Sahne erhitzen. 50 g gehackte Ritter Sport Espresso-Schokolade unterrühren und 1 EL Rum oder Mandellikör dazugeben und sofort servieren.
Oder: Abkühlen lassen und mit 1 Kugel Halbbitter- Schokoladeneis (Zubereitung siehe Seite 57) genießen.

■ **Heiße Schokolade**
150 ml Milch und 50 ml Sahne auf etwa 50 °C erhitzen. 25 g gehackte Ritter Sport- Schokolade (z. B. Marzipan, Noisette, Kakao- Mousse, Halbbitter, Nugat oder Weiss+Crisp) in der Milch auflösen, durch ein Sieb abgießen, unter Rühren nochmals sanft erhitzen (nicht kochen lassen!), mixen und gleich servieren.
Die Minis von Ritter Sport eignen sich hierzu besonders gut. Versuchen Sie es auch einmal mit den Jahreszeiten-Editionen.

Zutaten für 1 Getränk

Duo im Glas

Mousse auf Milch

Gewürzte Schokomilch

Heiße oder geeiste Espresso- Schokolade

Heiße Schokolade

Ritter
SPORT

HALBBITTER

Halbbitter ist eine sehr edle Sorte mit hohem Kakaoanteil aus dem Hause Ritter Sport. Sie ist in meiner Küche unverzichtbar, da mit ihr ganz besondere Leckereien entstehen, denen noch keiner widerstehen konnte.

Würzige Rotwein-Würfel

- Backofen auf 180 °C (Umluft: 160 °C, Gas: Stufe 2) vorheizen. 12er-Würfel-Backform oder eine Muffinbackform fetten.
- In einer Schüssel Butter mit Puderzucker, Zimt und Salz schaumig rühren.
- Eier verquirlen und nacheinander unter die Buttermasse rühren.
- Mehl, Back-, Pudding- und Kakaopulver mischen, sieben und unter die Buttermasse heben, dann den Wein unterrühren.
- Teigmasse in die Backform verteilen und auf der mittleren Schiebeleiste etwa 25 Minuten backen. Die fertigen Gebäcke kurz in der Form ruhen lassen, dann aus der Form nehmen und auf einem Kuchengitter abkühlen lassen.
- Dunkle und weiße Schokolade mit einem Messer kleinhacken und jeweils über dem Wasserbad bei etwa 40 °C auflösen. Die Gebäckwürfel abwechselnd schwarz oder weiß bestreichen und mit den übrigen Schokomassen hell-dunkel verzieren.

Tipp:
Auch für Weihnachten ein tolles Rezept.

- **Backdauer:** Etwa 25 Min. ■ **Backen:** Elektro: 180°C, Umluft: 160°C, Gas: Stufe 2

Zutaten für 12 Stück

Für den Teig:
200 g Butter
160 g Puderzucker
1 TL Zimt
1 Msp. Salz, 3 Eier
250 g Mehl Type 405
1 EL Backpulver
1 P. Vanillepudding-Pulver
13 g Kakaopulver
150 ml Rotwein
(z. B. Dornfelder)

Zum Verzieren:
100 g Ritter Sport
Halbbitter-Schokolade
100 g Weiße
Ritter Sport Mini-Schokolade
25 g Ritter Sport
Edel- Vollmilch-Schokolade

Schoko-Madeleines

Zutaten für 18-20 Stück

Für den Teig:
80 g Butter
75 g Ritter Sport Halbbitter-Schokolade
3 Eiweiße
100 g Puderzucker
60 g Mehl Type 405
40 g Gem. Mandeln
1 Msp. Backpulver

Madeleines-Backform

- Butter in einem Topf bei geringer Hitze schmelzen und vom Herd nehmen.
- Schokolade mit einem Messer kleinhacken und über dem Wasserbad bei etwa 40 °C auflösen.
- Eiweiß zu einem festen Schaum schlagen.
- Puderzucker und Mehl vermischen, in eine Schüssel sieben und mit den gemahlenen Mandeln vermengen. Mischung vorsichtig unter den Eischaum heben. Flüssige Butter und geschmolzene Schokolade nacheinander unter Rühren langsam zu der Eischaummasse gießen.
- Teigmasse in der Schüssel abgedeckt über Nacht kalt stellen.

  Backofen auf 180 °C (Umluft: 160 °C, Gas: Stufe 2) vorheizen. Madeleines-Backform fetten.
- Backpulver unter die Teigmasse rühren, Teig mit einem Löffel in die Vertiefungen der Backform portionieren und auf der mittleren Schiene 15-20 Minuten backen.

Tipp:
Eines der leckersten Rezepte der Welt.

- **Backdauer:** 15 - 20 Min.
- **Backen:** Elektro: 180°C, Umluft: 160°C, Gas: Stufe 2

Zebraplätzchen

- Schokolade mit einem Messer klein hacken und über dem Wasserbad bei etwa 40 °C schmelzen.
- In einer Schüssel Butter mit Zucker und Salz schaumig rühren.
- Nacheinander die Eigelbe unter die Buttermasse rühren.
- Mehl, Speisestärke und Backpulver vermischen, zur Buttermasse sieben und zu einem festen Teig kneten.
- Teig halbieren. Geschmolzene Schokolade und Rum unter das eine Teigstück mengen. Beide Teigstücke in Folie verpackt 1 Stunde kalt stellen.
- Backofen auf 180 °C (Umluft: 160 °C, Gas: Stufe 2) vorheizen. Backblech fetten oder mit Backpapier auslegen.
- Teigstücke auf einer leicht bemehlten Unterlage 3-4 mm dick ausrollen. Teigplatten halbieren und farblich abwechselnd aufeinander schichten.
- Aus dem geschichteten Teigstapel gleichmäßig etwa 3x3cm große Quadrate stechen oder schneiden, die Plätzchen auf das Backblech setzen und mit Hagelzucker bestreuen. Die Zuckerkörnchen leicht andrücken. Die Plätzchen auf der mittleren Schiebeleiste 10-15 Minuten nicht zu dunkel backen.

Zutaten für ca. 45 Plätzchen

Für den Teig:
75 g Ritter Sport Halbbitter-Schokolade
250 g Butter
200 g Zucker
1/2 TL Salz
4 Eigelbe
150 g Mehl Type 405
200 g Speisestärke
1 Gestr. TL Backpulver
3 EL Rum

Zum Verzieren:
3 EL Hagelzucker

- **Backdauer:** 10 - 15 Min.
- **Backen:** Elektro: 180°C, Umluft: 160°C, Gas: Stufe 2

Sacher-Törtchen

- Backofen auf 180 °C (Umluft 160 °C, Gas Stufe 2) vorheizen. Törtchen- oder Gugelhupf-Backform fetten.

- Für den Teig Schokolade klein hacken, über dem heißen Wasserbad bei etwa 40 °C schmelzen, leicht abkühlen lassen. Die Eier trennen. Eiweiße mit dem Salz zu einem festen Schaum schlagen, Zucker dabei einrieseln lassen.

- Butter mit Puderzucker schaumig rühren, Eigelbe zugeben und weitere 2 Minuten rühren. Lauwarme Schokolade unter die Eigelbmasse rühren. Mehl und Eischaum ebenfalls unter die Masse heben. Teig gleichmäßig in die Backform verteilen und ca. 35 Min. (Gugelhupfform ca. 55 Min.) backen. Abkühlen lassen.

- Törtchen waagrecht halbieren. In einem kleinen Topf Marmelade mit Wasser erwärmen. Die Hälfte der Marmelade mit einem Pinsel auf den unteren Törtchenhälften gleichmäßig verteilen.

- Marzipan und Puderzucker gut verkneten, zwischen Frischhaltefolien dünn ausrollen und Kreise in Törtchengröße ausstechen. Die Marzipan scheiben auf die bestrichenen Hälften legen. Restliche Marmelade auf das Marzipan streichen und zugehörige Gebäckteile aufsetzen.

- Schokolade für den Guss klein hacken. In einem Topf Zucker mit Wasser aufkochen lassen. Seitlich angesetzte Zuckerkristalle von dem Topfrand entfernen. Entstandenen Schaum abschöpfen.

- Gehackte Schokolade zu dem Zuckersirup geben und unter Rühren kurz aufkochen lassen. Topf vom Herd nehmen und die Glasur unter gelegentlichem Rühren etwas abkühlen lassen. Etwa 1/3 der Glasur mit einem Pinsel auf die Törtchen streichen, kurz anziehen lassen. Mit der restlichen Glasur gleichmäßig übergießen.

- **Backdauer:** Törtchen ca. 35 Min. , Gugelhupfform ca. 55 Min.
- **Backen:** Elektro: 180°C, Umluft: 160°C, Gas: Stufe 2

Zutaten für 6 Törtchen oder 1 Gugelhupfform

Für den Teig:
100 g Ritter Sport Halbbitter-Schokolade
6 Eier, 125 g Butter
1 Prise Salz
150 g Zucker
50 g Puderzucker
120 g Mehl Type 405

Für die Füllung:
150 g Aprikosen-marmelade
50 ml Wasser
200 g Marzipan-rohmasse
2-3 EL Puderzucker

Für den Guss:
150 g Ritter Sport Halbbitter-Schokolade
300 g Zucker
125 ml Wasser

Englischer Schoko-Pudding

- Kleine Einmachgläser (ca. 100 ml) oder feuerfeste Töpfchen innen mit etwas Butter ausstreichen und mit Zucker bestreuen. Schokolade kleinhacken und über dem Wasserbad bei etwa 40 °C schmelzen. Eier trennen. Eiweiße zu einem festen Schaum schlagen, 50 g Zucker dabei einrieseln lassen.

- Backofen auf 170 °C (Umluft: 150 °C, Gas: Stufe 1-2) vorheizen.

- Eigelbe, restlicher Zucker, Vanillemark und Zimt mit dem Handrührgerät unter die flüssige Schokolade rühren. Masse schaumig aufschlagen.

- 3-4 EL Eischaum unter die Schokomasse rühren. Geriebene Haselnüsse und Mandeln mischen und mit dem restlichen Eischaum achtsam unter die Schokomasse heben. Schokomasse in dic Portionsgläser verteilen.

- Portionsgläser in die Bratenpfanne des Backofens stellen. So viel heißes Wasser in die Pfanne geben, bis die Gläschen etwa zur Hälfte im Wasser stehen. Den Pudding auf der mittleren Schiebeleiste 25-30 Minuten garen lassen.

- Schokolade wie oben beschrieben schmelzen. Mit Hilfe eines Messers aus flüssiger Schokolade ein Gitter auf eine Backfolie malen. Erkalten lassen.

- Preiselbeerkompott und Rotwein in einem Topf bei geringer Hitze erwärmen. Sahne und Zucker steif schlagen. Puddingportionen auf Dessertteller stürzen, mit Sahne und Schokogitter verzieren.

Tipp:
Das Rezept eignet sich hervorragend zum Vorbereiten, da es sich mit demselben Vorgang einmachen lässt. Verwenden Sie das zu den Einmachgläschen gehörige Zubehör (z. B. Dichtring und Klammern). Auch ein tolles Geschenk aus der Küche.

- **Backdauer:** 25 - 30 Min. - **Backen:** Elektro: 170°C, Umluft: 150°C, Gas: Stufe 1-2

Zutaten für 4 Personen:

90 g Ritter Sport Halbbitter- Schokolade
6 Eier
100 g Zucker
Mark von 1/2 Vanilleschote
2 Msp. Zimtpulver
60 g Geriebene Haselnüsse
50 g Geriebene geschälte Mandeln

Für die Verzierung und Beilage:
50 g Ritter Sport Edel- Vollmilch-Schokolade
6-8 EL Preiselbeerkompott
2 EL Rotwein
125 g Sahne
2 EL Zucker

Brownies

■ Schokolade kleinhacken und in einer Schüssel über dem Wasserbad bei ca. 40 °C schmelzen und wieder etwas abkühlen lassen.

■ Backofen auf 180 °C (Umluft: 160 °C, Gas: Stufe 2) vorheizen. Backblech mit Backpapier auslegen und einen quadratischen Backrahmen von etwa 20x20 cm aufsetzen.

■ In einer Schüssel Butter mit Vanillemark schaumig rühren, Zucker dabei einrieseln lassen. Eier einzeln aufschlagen und unterrühren.

■ Mehl und Kakaopulver mischen, zu der Buttermasse sieben, Salz und geschmolzene Schokolade dazugeben und alles zu einem Teig verrühren. Walnusskerne unter den Teig mischen.

■ Teig gleichmäßig in dem Backrahmen verteilen und glätten. Auf der mittleren Schiebeleiste 30-35 Minuten backen. Fertiges Gebäck in der Form abkühlen lassen.

■ Gebäckplatte mit einem Messer aus dem Backrahmen lösen und in etwa 16 Stücke schneiden.

Anmerkung:
Die Brownies sollen nicht trocken gebacken sein. Somit ist die Stäbchenprobe hier sehr wichtig: In der Mitte sollen sie durchgebacken, aber noch weich sein.

Zutaten für ca. 16 Stück (Backrahmen 20x20cm)

Für den Teig:
100 g Ritter Sport Halbbitter- Schokolade
125 g Zimmerwarme Butter
Mark von 1 Vanilleschote
200 g Zucker
2 Eier
85 g Mehl Type 405
3 TL Kakaopulver
1 Prise Salz
180 g Walnusskerne

■ **Backdauer:** 30 - 35 Min. ■ **Backen:** Elektro: 180 °C, Umluft: 160°C, Gas: Stufe 2

Schoko-Pinienkern-Tarte

- Für den Mürbeteig Butter in Flöckchen, Zucker, Eigelbe, Orangenschale, Vanillemark, Salz und Mehl zügig miteinander verkneten. Den Teig teilen in 1/3 und 2/3, je in Folie verpackt ca. 1 Stunde kalt lagern.

- Backofen auf 190 °C (Umluft: 175 °C; Gas: Stufe 2-3) vorheizen. Backblech fetten oder mit Backpapier auslegen und einen Backrahmen von etwa 20x20 cm aufsetzen.

- Teigstücke auf einer leicht bemehlten Unterlage ausrollen. Größere Teigplatte in den Backrahmen legen und den Stehrand gleichmäßig ausformen.

- Für die Füllung Schokolade kleinhacken, mit der Milch in einem Topf erhitzen. Kurz vor dem Siedepunkt den Topf vom Herd nehmen.

- Eigelbe mit Zucker schaumig rühren. Mehl und Kakao dazusieben und unterrühren. Die Schokomilch unter ständigem Rühren langsam zu der Masse gießen und das Ganze wieder zurück in den Topf geben. Erhitzen, bis die Masse zu stocken beginnt. Bei geringer Hitze unter ständigem Rühren noch weitere 2 Minuten sieden lassen und das Vanillemark zugeben. Die Masse in den Backrahmen gießen.

- Die zweite Teigplatte auf die Schokomasse legen, den Rand leicht andrücken. Die Eigelbe verquirlen und die Tarte damit vorsichtig bestreichen. Die Pinienkerne darüber streuen. Auf der mittleren Schiebeleiste 55-60 Minuten backen.

- Die Tarte vollständig auskühlen lassen und mit Puderzucker bestäuben.

■ **Backdauer:** 55 - 60 Min. ■ **Backen:** Elektro: 190°C, Umluft: 175°C, Gas: Stufe 2-3

Für 1 Tarte 20x20 cm

Für den Mürbeteig:
175 g Butter
100 g Feiner Zucker
2 Eigelbe, 1 Prise Salz
Abgeriebene Schale einer unbeh. Orange
Mark von 1 Vanilleschote
250 g Mehl Type 405

Für die Füllung:
100 g Ritter Sport Halbbitter-Schokolade
600 ml Milch
2 Eigelbe
75 g Rohrzucker
1 EL Mehl Type 405
2 EL Kakaopulver
1/2 TL Vanillemark

Für den Belag:
2 Eigelbe
4-6 EL Pinienkerne
Puderzucker zum Bestreuen

Schoko-Bananen

- Backofen auf 220 °C (Umluft: 200 °C, Gas: Stufe 4) vorheizen. Backblech mit Backpapier oder Dauerbackfolie auslegen.

- Für den Teig Butter in einem Topf bei mittlerer Hitze zerlassen und lauwarm abkühlen lassen.

- Eier in einer Schüssel aufschlagen und mit dem Handrührgerät 3-5 Min. schaumig rühren. Unter Rühren Zucker und Vanillezucker einrieseln lassen und alles weitere 3-5 Minuten zu einer schaumigen Masse aufschlagen.

- Mehl, Speisestärke und Backpulver mischen, sieben, mit Salz und lauwarmer Butter zur Eiermasse geben und zügig unterheben.

- Den Teig in einen Spritzbeutel mit großer Lochtülle füllen und 8 etwa gleich große, gewölbte Streifen auf das Backblech spritzen. Auf der mittleren Schiebeleiste 8-10 Min. goldbraun backen. Auf einem Kuchengitter abkühlen lassen.

- Für den Belag die Bananen schälen, längs halbieren und sofort mit Zitronensaft bestreichen. Marmelade in einem Topf erwärmen und auf die Biskuitstreifen verteilen. Bananenhälften auflegen.

- Schokolade für die Glasur kleinhacken. In einem Topf Zucker mit Wasser aufkochen lassen. Seitlich angesetzte Zuckerkristalle mit einem feuchten Pinsel von dem Topfrand entfernen. Entstandenen Schaum abschöpfen. Gehackte Schokolade zu dem Zuckersirup geben und unter Rühren kurz aufkochen lassen. Den Topf vom Herd nehmen und die Glasur unter gelegentlichem Rühren etwas abkühlen lassen.

- Etwa 1/3 der Glasur mit einem Pinsel auf die Bananen streichen, kurz anziehen lassen. Mit der restlichen Glasur übergießen. Mit weißer geschmolzener Schokolade verzieren.

- **Backdauer:** 8 - 10 Min.
- **Backen:** Elektro: 220°C, Umluft: 200°C, Gas: Stufe 4

Zutaten für 8 Stück

Für den Teig:
20 g Butter
2 Eier, 50 g Zucker
1 P. Vanillezucker
30 g Mehl Type 405
40 g Speisestärke
1 EL Backpulver
1 Prise Salz

Für den Belag:
4 Bananen
Saft von 1/2 unbeh. Zitrone
75 g Marmelade nach Belieben

Für die Glasur:
150 g Ritter Sport Halbbitter-Schokolade
300 g Zucker
125 ml Wasser
50 g Ritter Sport Minis weiß

Schoko-Tee-Würfel

Zutaten für ca. 36 Stück

Für den Teig:
150 ml Kochendes Wasser
3 EL Assam-Schwarztee
300 g Ritter Sport Halbbitter- Schokolade
50 g Butter
2 Eigelbe
100 g Puderzucker
Abgeriebene Schale von 1/2 unbeh. Orange
2-3 EL Kakao

- Backblech mit Frischhalte- oder Alufolie auslegen und einen eckigen Backrahmen von 20x20 cm aufsetzen oder eine eckige Auflaufform mit Folie auslegen.

- In einer Tasse den Schwarztee 3 Minuten im heißen Wasser ziehen lassen. Abkühlen lassen.

- Schokolade mit einem Messer kleinhacken und über dem Wasserbad bei etwa 40 °C schmelzen.

- Butter, Eigelbe und Puderzucker in einer Schüssel schaumig rühren. Die abgeriebene Orangenschale kurz unter die Buttermasse rühren.

- Schwarztee und geschmolzene Schokolade zur Buttermasse geben und unterrühren. Je nach Beschaffenheit der Masse, diese evtl. noch kurze Zeit abgedeckt kühl stellen, bis sie streichfähig ist.

- Die Konfektmasse in die vorbereitete Form streichen und erstarren lassen, ggf. kühl stellen. Die Masse in etwa 3x3 cm große Quadrate schneiden und mit Kakao bestäuben.

Tipp:
Das Konfekt schmeckt auch gekühlt als Eiskonfekt.

Mousse au Chocolat

- Schokolade in kleine Stücke hacken, über dem Wasserbad bei etwa 40 °C sanft schmelzen.

- Eier, Orangenlikör und Kaffee zur Schokolade geben, Masse mit dem Handrührgerät auf niedrigster Stufe über dem Wasserbad 3-5 Minuten aufschlagen.

- Butter in Flöckchen ebenfalls unter die noch warme Schokolade rühren. Masse vollständig abkühlen lassen.

- Sahne steif schlagen und unter die erkaltete Schokoladenmasse heben. In Dessertschalen abfüllen und im Kühlschrank ca. 3 Stunden stocken lassen.

- Orange filetieren (Zwischenhäute abziehen). Ein quadratisches Ausstecherförmchen auf Dessertteller legen und je ein Kakaoquadrat mit Hilfe eines Haarsiebs aufstreuen. Mousse mit dem Löffel auf die Teller portionieren und mit Orangenspalten und Minze anrichten.

Zutaten für 3-4 Personen

Für das Mousse:
100 g Ritter Sport Edel-Vollmilch-Schokolade
100 g Ritter Sport Halbbitter- Schokolade
4 Ganz frische Eier
1 EL Orangenlikör
2 EL Starker Kaffee
50 g Weiche Butter
250 g Sahne

Zum Verzieren
2 Unbeh. Orangen
Frische Minze
Kakaopulver zum Bestäuben

Eisvariation

- Verschiedene Schokoladensorten getrennt kleinhacken, über dem Wasserbad bei etwa 40 °C schmelzen und in Schälchen beiseite stellen.

- Sahne halbsteif schlagen. Ein kühles Wasserbad bereitstellen. Eier, Eigelbe und Zucker in einer Schüssel über dem heißen Wasserbad mit dem Schneebesen schaumig schlagen, bis die Masse etwas eindickt, dann die Masse über dem kühlen Wasserbad kalt rühren.

- Eimasse in 3 Gefäße verteilen. Unter die erste Masse Vollmilchschokolade und Birnengeist rühren, die zweite Masse Halbbitterschokolade mit Weinbrand und die dritte Masse Weiss+Crisp mit Grappa. Die Sahne gleichmäßig auf die drei Massen verteilen und unterrühren.

- Die verschiedenen Eiscrememassen in drei aufeinander folgenden Schritten gleichmäßig in Portionsgläschen verteilen und jeweils schichtenweise (abgedeckt) etwa 30 Min. anfrosten, dann fortfahren. Anschließend 4-6 Stunden frosten lassen.

- Für die Verzierung Schokolade mit einem scharfen Messer hobeln. Sahne steif schlagen und in einen Spritzbeutel mit Sterntülle geben. Aus der Birne feine Längsspalten schneiden, Kernhausteile entfernen. Birnenspalten sofort mit Zitronensaft beträufeln. Eis mit Sahne, Früchten und Schokospänen verzieren und servieren.

Tipp:
Eis lässt sich sehr gut vorbereiten. Zu empfehlen ist, es innerhalb von 14 Tagen zu verzehren.

Zutaten für 6-8 Personen

Für das Eis:
60 g Ritter Sport Edel-Vollmilch-Schokolade
60 g Ritter Sport Halbbitter- Schokolade
60 g Ritter Sport Weiss+Crisp-Schokolade
600 g Sahne
2 Eier, 5 Eigelbe
100 g Weißer Zucker
je 1 EL Birnengeist, Weinbrand und Grappa

Für die Verzierung:
25 g Ritter Sport Halbbitter- Schokolade
150 g Sahne, 1 Birne
Etwas Zitronensaft

Panna Cotta mit Schokolade

- Schokolade für die Panna Cotta kleinhacken. Gelatine in kaltem Wasser etwa 5 Min. quellen lassen.

- Sahne mit Milch, Vanillemark und Puderzucker in einem Topf bei geringer Hitze 5 Minuten mild kochen lassen und vom Herd nehmen. Gelatine aus dem Wasser nehmen und ausdrücken. Die Gelatine in die heiße Sahnemasse rühren. Masse etwas abkühlen lassen.

- Gehackte Schokolade unter die noch warme Sahnemasse rühren, in Portionsgläschen oder Tassen verteilen und abgedeckt 3-4 Stunden oder über Nacht kalt stellen.

- Maracujafrüchte aufschneiden und Fruchtmasse herausnehmen. Stärke mit 1-2 EL Saft auflösen. Fruchtmasse, restlicher Saft und Zucker in einem Topf zum Kochen bringen. Aufgelöste Stärke unter Rühren zum heißen Saft geben und nochmals kurz aufkochen lassen. Masse vom Herd nehmen. Pfirsiche oder Pflaumen waschen, entkernen und in kleine Stücke schneiden. Fruchtstücke unter die heiße Fruchtmasse mischen. Abkühlen lassen.

- Gefäße mit der Panna Cotta kurz in heißes Wasser tauchen und die erstarrte Masse auf Dessertteller stürzen. Mit gehobelter Schokolade verzieren und mit der Fruchtsauce servieren.

- **Kalt stellen:** 3-4 Stunden

Zutaten für 4 Personen

Für die Panna Cotta:
100 g Ritter Sport Halbbitter- Schokolade
3 Blatt Weiße Gelatine
400 g Sahne
100 ml Milch
Mark von 1 Vanilleschote
100 g Puderzucker

Für die Fruchtsauce und Verzierung:
3 Maracuja
1 TL Speisestärke
150 ml Maracujasaft
50 g Rohrzucker
2 Weinbergpfirsiche oder 4 blaue Pflaumen
25 g Ritter Sport Halbbitter- Schokolade
1 Ritter Sport weiße Mini- Schokolade

„Nur beste Zutaten und individuell darauf abgestimmte Schokolade-Rezepturen ergeben ein prall gefülltes Ritter Sport Quadrat."
(Alfred T. Ritter)

Erläuterungen

Schmelzen von Schokolade:
Gute Schokolade erfordert einen liebevollen Umgang und sollte nicht in direkten Kontakt zur Hitzequelle kommen. Anders ist es bei Küchenmaschinen, die man genau temperieren kann (z. B. COOKING CHEF von Kenwood).
Besonders zu beachten ist, dass weiße Schokolade noch etwas schneller auf zu hohe Temperaturen reagiert.

Für Glasuren ist es wichtig:
Nur einen Teil der Schokolade im Gefäß anschmelzen lassen, dann die restliche Schokolade dazugeben und einrühren. Wenn sie zu schnell abkühlt und unvollständig schmilzt, nochmals kurz über das Wasserbad geben und rühren. Somit behält die Schokolade ihren Glanz.

Schmelzen über dem Wasserbad:
In einem Topf Wasser auf etwa 40 °C erhitzen. Geben Sie kleingehackte Schokolade in eine Metallschüssel, die auf dem Topfrand aufliegt und keinen direkten Kontakt mit dem Wasser hat. Das Wasser darf nicht kochen.

Backen:
Bitte beachten Sie zur Temperatur und der Backzeit die Angaben Ihres Backofenherstellers, sowie die eigenen Erfahrungen mit Ihrem Gerät.

Bezugsadresse:
Sie können alle quadratischen Hilfsmittel und sonstiges Zubehör bei www.backfun.de bestellen.

Abkürzungen:

g = Gramm
geh. = gehackt, bzw. gehäuft
gem. = gemahlen
ger. = gerieben
gestr. = gestrichen
ml = Milliliter
Msp. = Messerspitze
P. = Päckchen
Pr. = Prise
TL = Teelöffel
EL = Esslöffel

INHALT

Viele Sorten

Halbbitter

DANKE

An erster Stelle möchte ich hier sowohl der Familie Ritter, als auch ihren Mitarbeitern herzlich danken, die bei der Entstehung eines solch schönen Projekts entscheidend mitgewirkt haben.

Außerdem möchten wir danken:
Der Firma Kenwood für die gelungene Küchenmaschine Cooking Chef, Sie hat uns das perfekte Gelingen raffinierter Rezeptpassagen einfach gemacht.
Der Firma Zwiesel für die bestechend schönen Glasprodukte auf unseren Bildern.

Der Firma Villeroy & Boch für ihre geschmackvolle und quadratische Keramik.

Auch ganz herzlichen Dank unserer tollen Grafikerin Dominika Przybylska.

Idee, Autorin und Herausgeberin:
Hanna Renz
Alle Fotos von Ulrich und Hanna Renz

Layout und Gestaltung:
Dominika Przybylska

Printed in EU
ISBN 978-3-86852-905-0

MIX
Papier aus verantwortungsvollen Quellen
FSC® C014138

HEEL Verlag GmbH
Gut Pottscheidt
53639 Königswinter
Tel.: 02223 9230-0
Fax: 02223 9230-13
E-Mail: info@heel-verlag.de
www.heel-verlag.de